ISBN : 2-07-055334-5
Titre original : *Tadpole's Promise*
Publié par Andersen Press Ltd, Londres
© Jeanne Willis 2003, pour le texte © Tony Ross 2003, pour les illustrations
© Gallimard Jeunesse 2003, pour la traduction française
Numéro d'édition : 134811
Loi n° 46-956 du 16 juillet 1949 sur les publications destinées à la jeunesse
Premier dépôt légal : avril 2003
Dépôt légal : janvier 2005
Imprimé en Italie par Grafiche AZ

Jeanne Willis • Tony Ross

La promesse

Traduit de l'anglais par Anne Krief

GALLIMARD JEUNESSE

Là où le saule rencontre l'eau,
un têtard rencontra une chenille.
Ils se regardèrent dans les yeux,
de tout petits yeux...

... et tombèrent amoureux.
Elle était pour lui son joli arc-en-ciel...

… et il était pour elle sa belle perle noire.
– J'aime tout chez toi, déclara le têtard.

– J'aime tout chez toi, déclara la chenille.
Promets-moi de ne jamais changer.

– Je te le promets,
répondit le têtard.

Mais, de même que le temps change inévitablement,
le têtard ne pouvait tenir sa promesse.
La fois suivante, deux jambes lui étaient apparues.

– Tu n'as pas tenu ta promesse,
dit la chenille.

– Pardonne-moi, supplia le têtard.
Je n'y suis pour rien. Je ne veux pas de ces jambes...

... tout ce que je désire, c'est mon joli arc-en-ciel.

– Tout ce que je désire, c'est ma belle perle noire.
Promets-moi de ne jamais changer,
dit la chenille.

– Je te le promets.

Mais, de même que les saisons
changent inévitablement,
la fois suivante,
le têtard avait deux bras.

– C'est la deuxième fois
que tu ne tiens pas ta promesse,
sanglota la chenille.

– Pardonne-moi, supplia le têtard. Je n'y suis pour rien.
Je ne veux pas de ces bras...

... tout ce que je désire, c'est mon joli arc-en-ciel.

– Et tout ce que je désire, c'est ma belle perle noire.
Je te laisse une dernière chance,
dit la chenille.

Mais, de même que le monde change inévitablement,
le têtard ne pouvait tenir sa promesse.
La fois suivante, il n'avait plus de queue.

– C'est la troisième fois que tu ne tiens pas ta promesse,
donc tu ne tiens pas à moi : tu m'as brisé le cœur,
dit la chenille.

– Mais tu es toujours mon joli arc-en-ciel,
dit le têtard.

La chenille remonta le long du saule
et pleura tant qu'elle sombra
dans un profond sommeil.

Adieu.
— Oui, mais toi tu n'es plus ma belle perle noire.

Par une douce nuit
de pleine lune,
elle s'éveilla.
Le ciel avait changé,
les arbres avaient changé.
Tout avait changé…

... sauf son amour pour le têtard.
Alors elle décida de lui pardonner
de ne pas avoir tenu sa promesse.

Elle se sécha les ailes
et s'envola à sa recherche.

Là où le saule rencontre l'eau,
une grenouille était posée sur un nénuphar.

– Excusez-moi.
Vous n'auriez pas vu ma belle perle…

Alors, sans lui laisser le temps de finir sa phrase,
la grenouille bondit et l'avala…

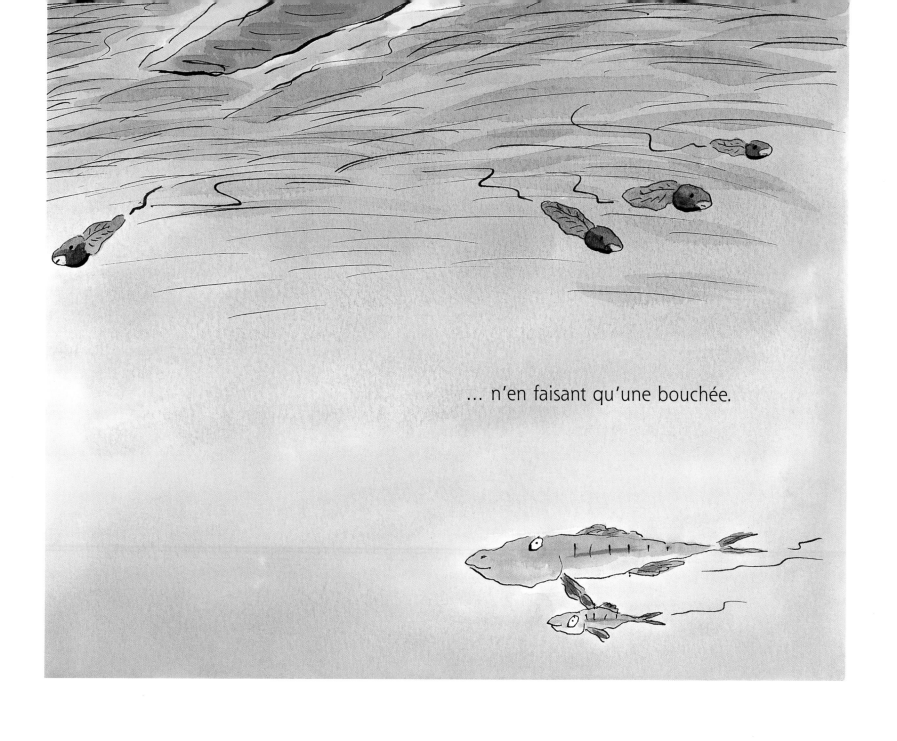

... n'en faisant qu'une bouchée.

Et, posé sur son nénuphar,
l'ancien têtard attendait patiemment...

...qu'un jour lui revienne son joli arc-en-ciel.
Il se disait que la vie était décidément bien cruelle envers lui.

... Mais c'est la vie, petit !

FIN